FLÖTE LERNEN

mit

Trevor Wye

Aus dem Englischen übertragen von
Viktor Rusti

Teil 1

MUSIKVERLAG ZIMMERMANN

ZM 80241

Originaltitel: Trevor Wye: A Beginner's Practice Book for the Flute
© 1984 by Novello u. Company Limited
ZM 80241
ISMN 979-0-010-80241-1
ISBN 978-3-940105-55-4
German version published by permission of Novello u Comp. Ltd.
by Musikverlag Zimmermann, Germany
für Deutschland, Österreich und die Schweiz

Nachdruck 2017

Für Kate Hill

VORWORT

Jedes neue Buch, das auf dem Markt erscheint, rühmt sich neuer Ideen und einer neuen Gestalt. Diese Arbeit macht keine Ausnahme, stützt sich aber gleichwohl auf die erprobten Rezepte der Vorgänger.

Spieltechnisch gesehen ist die Flöte das leichteste der Holzblasinstrumente und ohne weiteres dazu geeignet, von Beginn an chromatisch erlernt zu werden. Der Anfänger hat es leicht, gleich in verschiedenen Tonarten zu spielen, vorausgesetzt, daß er jedem neuen Ton mit gleicher Sorgfalt begegnet.

Die Hauptanliegen dieses Lehrganges sind deshalb:
  (a) Freude zu wecken am Flöteblasen und Musizieren im weitesten Sinne.
  (b) Vertrautheit auch mit abgelegeneren Tonarten. Das erleichtert den Zugang zu Orchestern und Ensembles.
  (c) Bildung einer kraftvollen tiefen Lage und eines guten Tones über den gesamten Tonumfang der Flöte.
  (d) Solo und Ensemblespiel.

Die 72 numerierten Stücke (2-42 in Teil I, der Rest in Teil II) können größtenteils gespielt werden:
  1) als Solo
  2) als Duo
  3) als Solo mit Klavier
  4) als Duo mit Klavier
  5) als Solo oder Duo mit Gitarrenbegleitung.

Das Heft mit der Klavierbegleitung (mit Akkordsymbolen) bietet nur solche Schwierigkeiten, die auch von Kindern mit etwa 2-3 Jahren Klavierunterricht bewältigt werden können. Es ist einzeln lieferbar.

Der Lehrgang ist für Einzel- und für Gruppenunterricht gedacht. Falls die Umstände es erfordern, kann es auch ohne Lehrer verwendet werden; doch sei dem Lernenden dringend geraten, sich einem guten Lehrer anzuvertrauen.

Viele der Übungen und Melodien stammen vom Verfasser.

Klavierbegleitung von Robert Scott und neun Originalstücke, die eigens von Alan Rudout komponiert wurden.

Schließlich danke ich ausdrücklich den Musikern und Lehrern, die mich bei den Vorarbeiten für diesen Lehrgang beraten haben:

Lucy Cartledge, Catharine Hill, Malcolm Pollack, Rosemary Rathbone, Alastair Roberts, Lenore Smith, Robun Soldan, Hilary Taggart, Stephanie Tromans, Lindsay Winfield-Chislett und Janet Way.

TREVOR WYE

ZM 80241

Kopfstück

Mundloch

Linke Hand

Zeigefin...

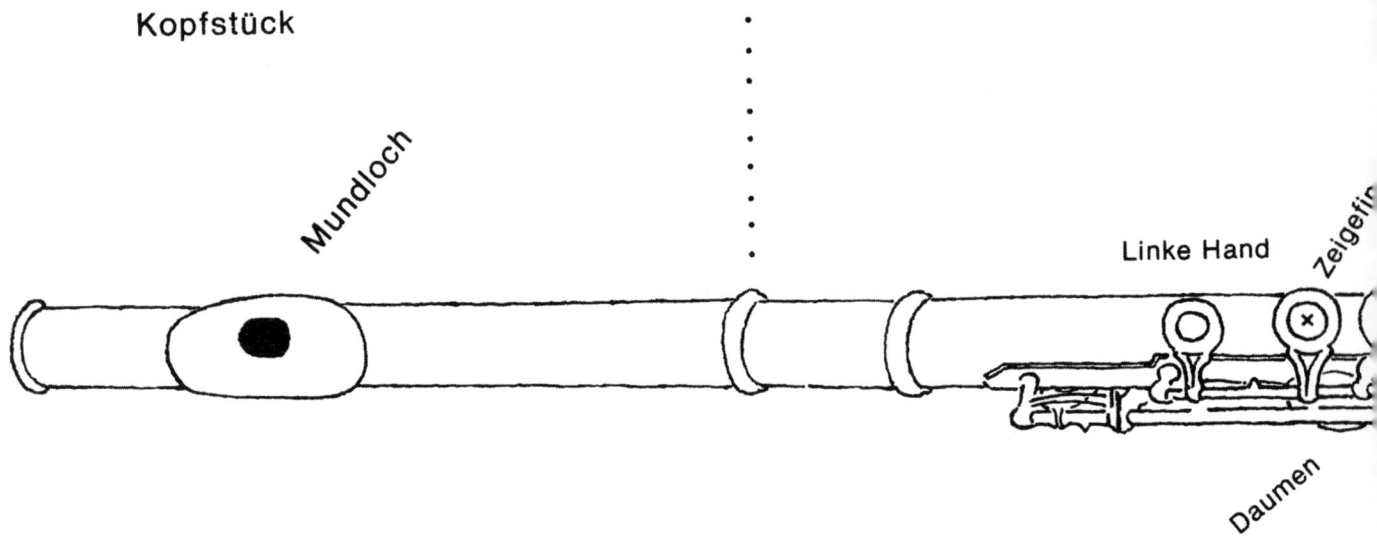

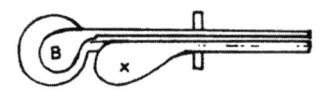

Daumen

Anblasen des Kopfstückes

Nimm das Kopfstück in die Hand und verschließe das offene Ende mit der rechten Handfläche luftdicht. Setze die Mundlochplatte so gegen die Unterlippe, daß etwas weniger als die Hälfte des Mundloches verdeckt ist. Das Kopfstück liegt parallel zu den Lippen. Lege die Lippen aufeinander und blase über das Loch hinweg.

Wenn ein Ton erklingt, dann nimm die rechte Hand weg und versuche es aufs neue. Geduld, wenn es nicht gleich klappt.

Versuche, nicht zu viel Luft zu verbrauchen.

Versuche, den Ton gleichmäßig zu halten. Wiederhole das gleiche und beginne den Ton diesmal, indem du die Silbe tö bildest. Stoppe den Ton nicht mit der Zunge. Wenn das gelingt, dann stecke die Flöte zusammen, wie es die Skizze zeigt. Achte darauf, daß das Mundloch in einer Linie mit der Griffplatte des linken Zeigefingers liegt. Achte auf die Stellung des Fußstückes.

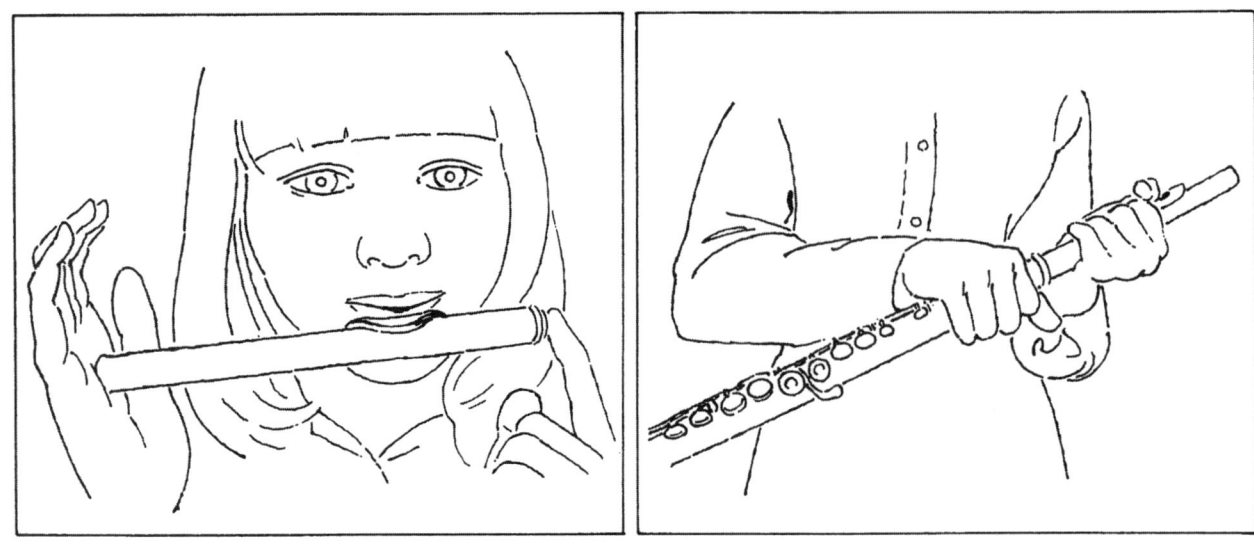

Mittelstück   Fußstück

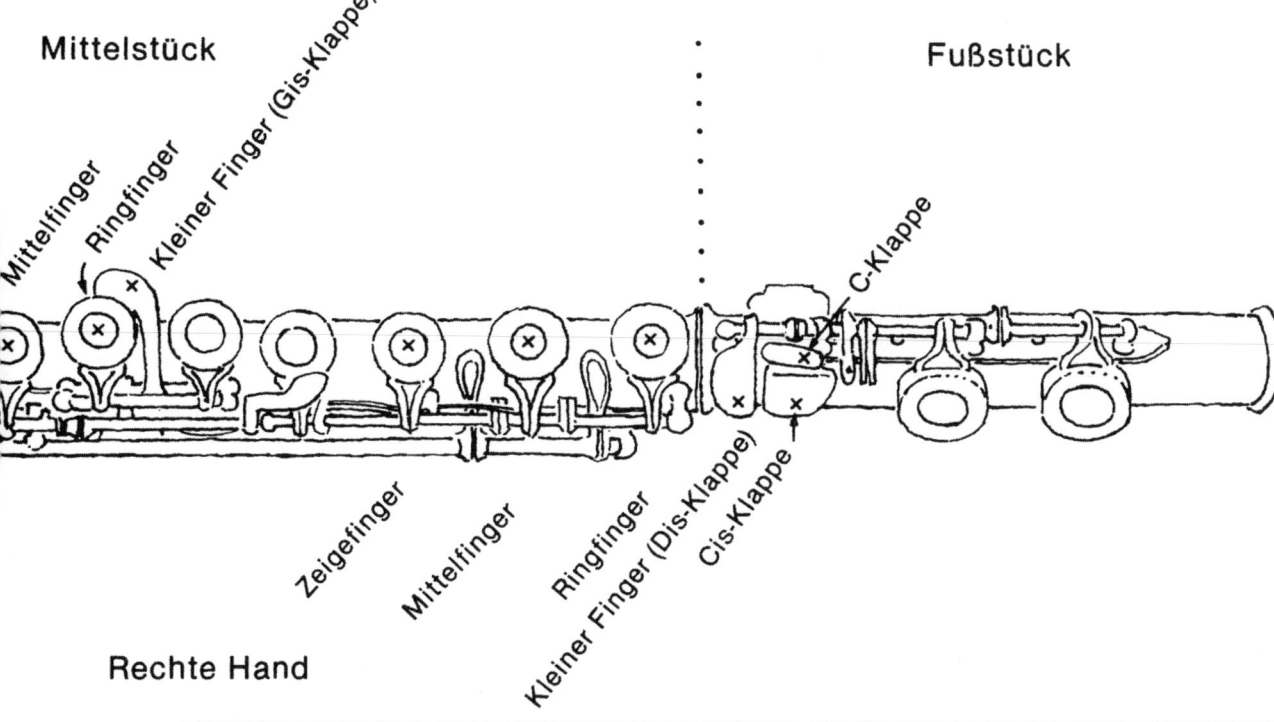

Mittelfinger
Ringfinger
Kleiner Finger (Gis-Klappe)
C-Klappe

Zeigefinger
Mittelfinger
Ringfinger
Kleiner Finger (Dis-Klappe)
Cis-Klappe

Rechte Hand

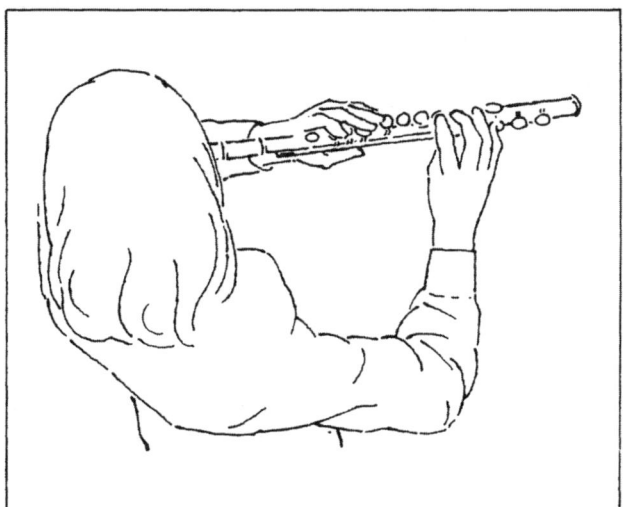 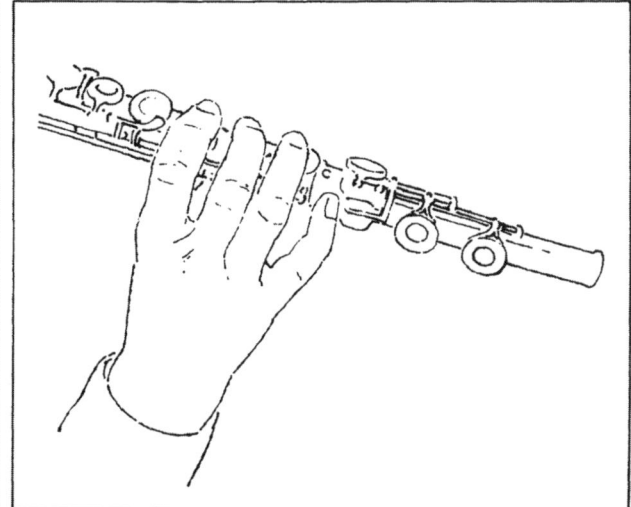

Sieh dir die Bilder an: beachte den Winkel zwischen der Flöte und dem Körper.
Halte die rechte und die linke Hand so, wie die obigen Zeichnungen zeigen. Pla-
ziere die Finger gemäß diesen Zeichnungen. Halte den kleinen Finger gebogen.

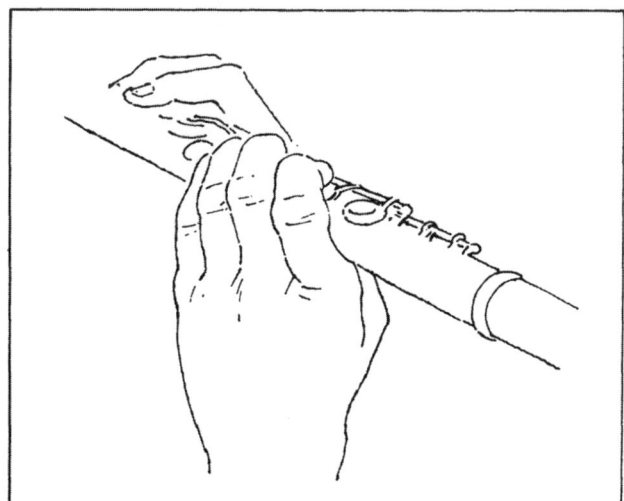 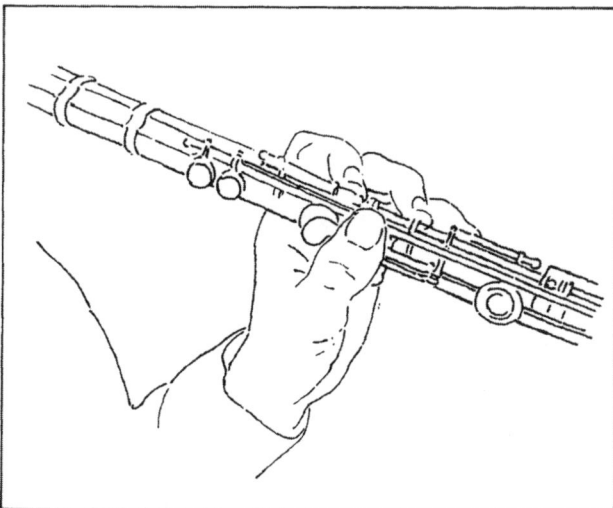

Der linke Zeigefinger ist zur Unterstützung etwas unter das Flötenrohr geneigt;
die anderen Finger wölben sich über den Deckeln. Achte auf den linken Daumen.
Halte ihn in der Höhe seines rechten Hebels.

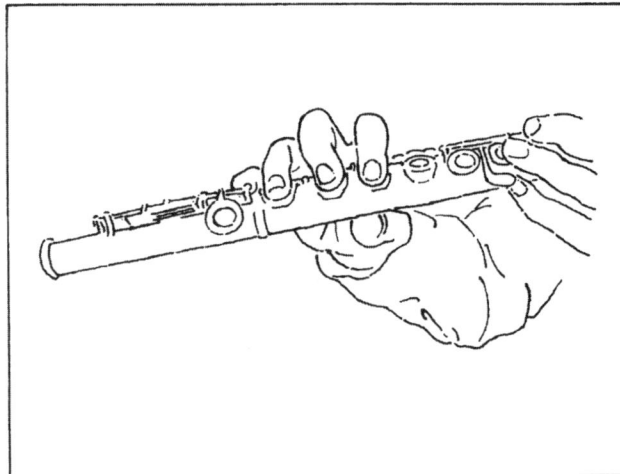

Haltung der rechten Hand

Halte den rechten Arm hoch mit biegsamem Handgelenk. Achte darauf, daß die Finger gewölbt sind. Beachte ferner, daß sich der Daumen etwas seitlich versetzt gegenüber dem Zeigefinger befindet. Halte die Hand so über der Flöte, daß das Verhältnis Daumen - Hand nicht verändert wird. Die Finger liegen gewölbt auf den Deckeln und der Dis-Klappe. Sie zeigen im rechten Winkel zur Flöte, nicht von rechts oder links.

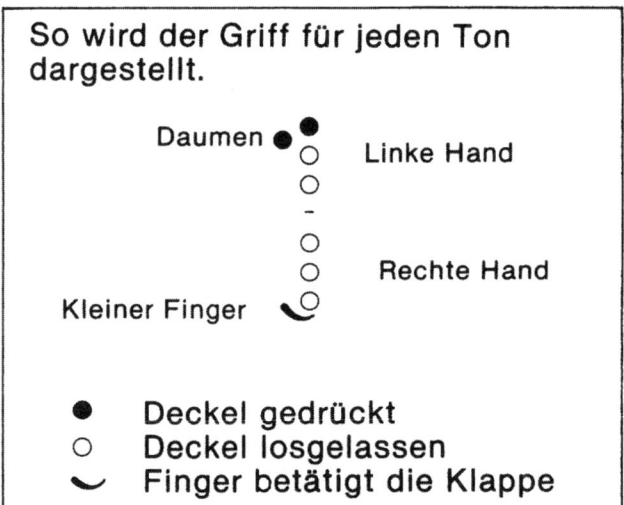

So wird der Griff für jeden Ton dargestellt.

Daumen — Linke Hand

Kleiner Finger — Rechte Hand

● Deckel gedrückt
○ Deckel losgelassen
⌣ Finger betätigt die Klappe

Das Anblasen der Flöte

Grundsätzlich im Stehen blasen. Halte die Flöte vor dir, drehe den Kopf ungefähr 45 Grad nach links und bringe die Flöte zum Kopf. Nicht den Kopf zur Flöte neigen. Berücksichtige, daß Kopf und Flöte in eine andere Richtung zeigen als die Schultern.

Greife H

und blase deinen ersten Ton.

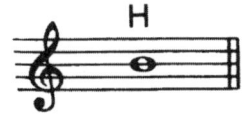

Zeigefinger und Daumen der linken Hand

Rechter kleiner Finger auf der Dis-Klappe

Versuche, Arme und Schultern zu entspannen.

Atmung

Setze die Flöte ab und atme tief ein, *ohne die Schultern anzuheben.* Erst sollte sich der Bauch und dann der Brustkorb ausdehnen. Wenn du dabei gewisse Schwierigkeiten hast, dann setze dich auf einen Stuhl mit aufrechter Lehne und halte dich am Sitz fest. Atme nochmals ein: diesmal sollte sich der Bauch ausdehnen. Wiederhole es ohne Stuhl.

Worauf man achten muß:

1) Den Ton nicht mit der Zunge *abschließen.*
2) Die Flöte aus Furcht vor dem Abrutschen nicht zu stark andrücken. Neige den linken Zeigefinger ein wenig unter die Flöte. Falls sie zu glitschig ist, klebe etwas Papier dorthin, wo der Zeigefinger liegen soll. Halte den linken Ellenbogen tief.
3) Halte die Schultern tief beim Spielen und Atmen.
4) Stütze die Flöte nicht mit der *Fläche* des rechten Daumens ab: das verspannt die Finger und führt zur Streckung des kleinen Fingers. Der kleine Finger muß gebogen sein (siehe die Abbildungen unten und auf Seite 3).
5) Lege die Noten beim Üben nicht auf den Tisch: wenn du keinen Notenständer hast, benutze Bilderhaken und Büroklammern oder stütze sie an der Innenseite des Flötenetuis ab - je nachdem.

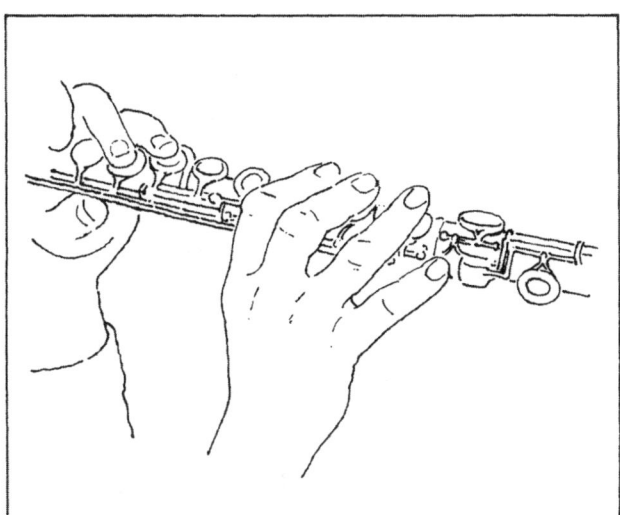
Unkorrekte Haltung der rechten Hand

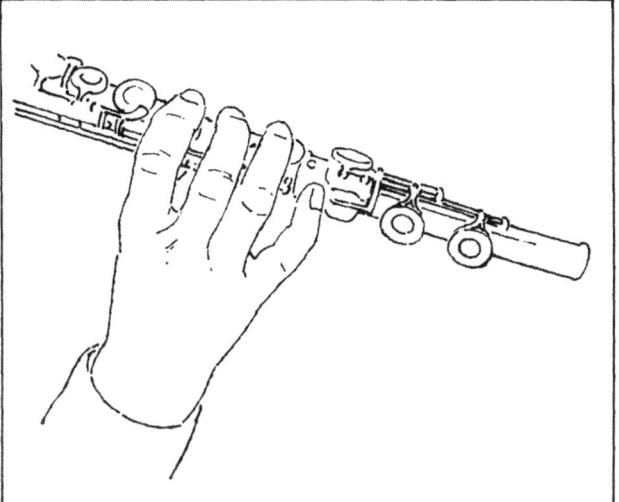
Korrekte Haltung der rechten Hand

Üben

Übe täglich. Lippenmuskulatur, Zunge, Finger und Atmung brauchen alle miteinander regelmäßige Übung, wenn du schnelle Fortschritte machen willst. Übe nach Möglichkeit täglich zur *gleichen Zeit.* Ein Athlet, der nur am Wochenende trainiert, holt sich bald eine Muskelzerrung! Außerdem muß auch der musikalische Ausdruck regelmäßig geübt werden.

Die Noten sind nach dem Alphabet benannt.

Sie befinden sich auf
dem *Notensystem:*

Dieses
Zeichen 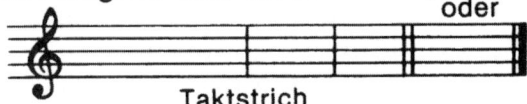 heißt *Violinschlüssel* und zeigt an, daß von seinem System ein
hohes oder Sopraninstrument spielt, wie beispielsweise die Diskant- und Sopran-
Blockflöte, die Violine und die Querflöte.

Die Musik ist in Takte eingeteilt; sie bestimmen die rhythmischen Betonungen
und Akzente.

Der *Taktstrich* bezeichnet Beginn und Ende eines jeden Taktes.

Taktstrich

Der *Doppelstrich* (der aus zwei dünnen oder einer dünnen und einer dicken Linie
bestehen kann) zeigt den Schluß eines Musikstückes an.

In der Musik gibt es verschiedene Notenlängen.

Hier sind einige davon:

𝅝 Ganze Note

𝅗𝅥 Halbe Note

♩ Viertelnote

Ferner gibt es Pausenzeichen, die den Notenlängen entsprechen.

Ganze Pause   Halbe Pause   Viertelpause

Taktbezeichnungen
Eine Taktangabe in der Form eines Bruches steht am Beginn eines jeden Stückes.
Sie zeigt an, wieviele Notenwerte pro Takt während des gesamten Stückes zu er-
warten sind.

Beispiel:

$\frac{2}{4}$ = zwei Viertelnoten je Takt

$\frac{3}{4}$ = drei Viertelnoten je Takt

$\frac{4}{4}$ = vier Viertelnoten oder zwei halbe Noten je Takt.

Nimm die Flöte und blase die folgende Übung, indem du vier Viertel auf jeden Takt zählst. Halte die Töne über ihre volle Länge aus. Benutze nur eine Note: das H.

Spiele die nächste Übung; jede *Halbe* hat zwei Schläge. Halte die halben Noten über die volle Länge aus.

Spiele die nächste Übung; die Taktangabe bedeutet drei Viertel pro Takt.

Eine Übung im $\frac{2}{4}$ —Takt; zwei Schläge auf den Takt.

In den folgenden Übungen kommen in jedem Takt Noten von verschiedenen Werten vor. Halte die Noten über ihre volle Länge aus. Zähle sorgfältig.

(a)

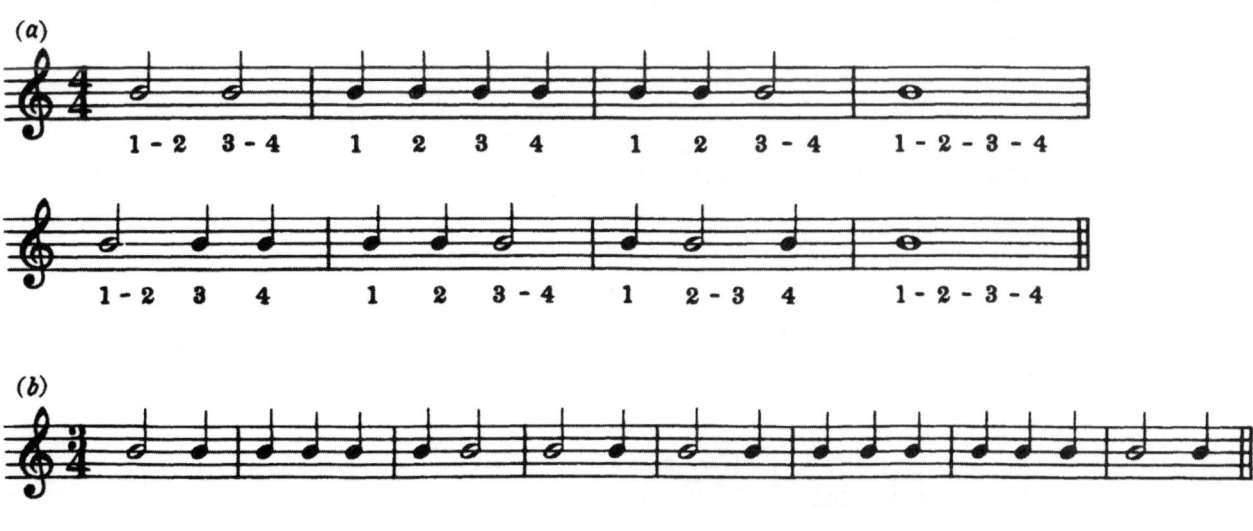

(b)

(c)

Eine *abschließende* Übung mit Noten und Pausen:

Spiele diese Übungen, um das Gefühl für den Rhythmus zu entwickeln. Sie verwenden nur den einen Ton, den du bisher gelernt hast: das H. Beende den Ton nicht mit der Zunge.

Im Zweifelsfalle singe die Übung und zähle gleichzeitig.

Einführung der ersten drei Töne H, A und G

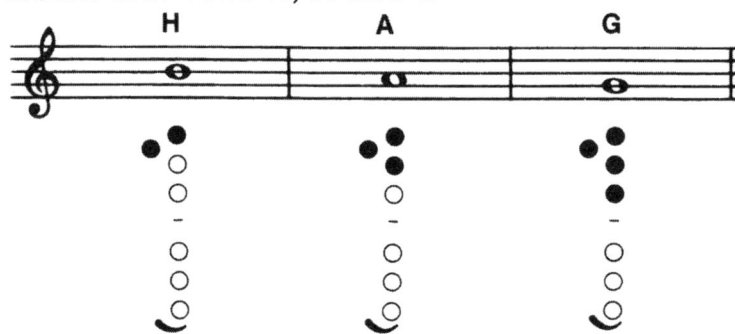

Stoße jeden Ton an, indem du ihn mit der Silbe tö beginnst. Das verleiht ihm einen sauberen Einsatz. Zähle sorgfältig.

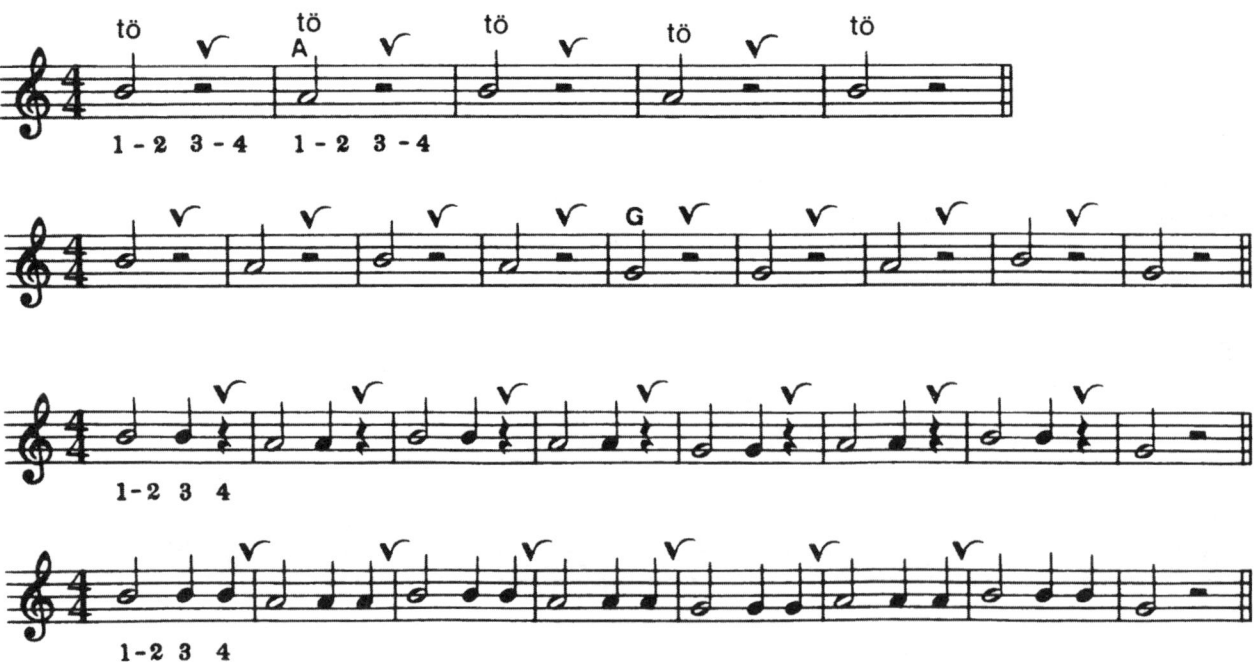

Achte darauf, daß du alle Töne mit dem rechten kleinen Finger auf der Dis-Klappe greifst.

Den *linken* kleinen Finger benutzt du noch nicht.

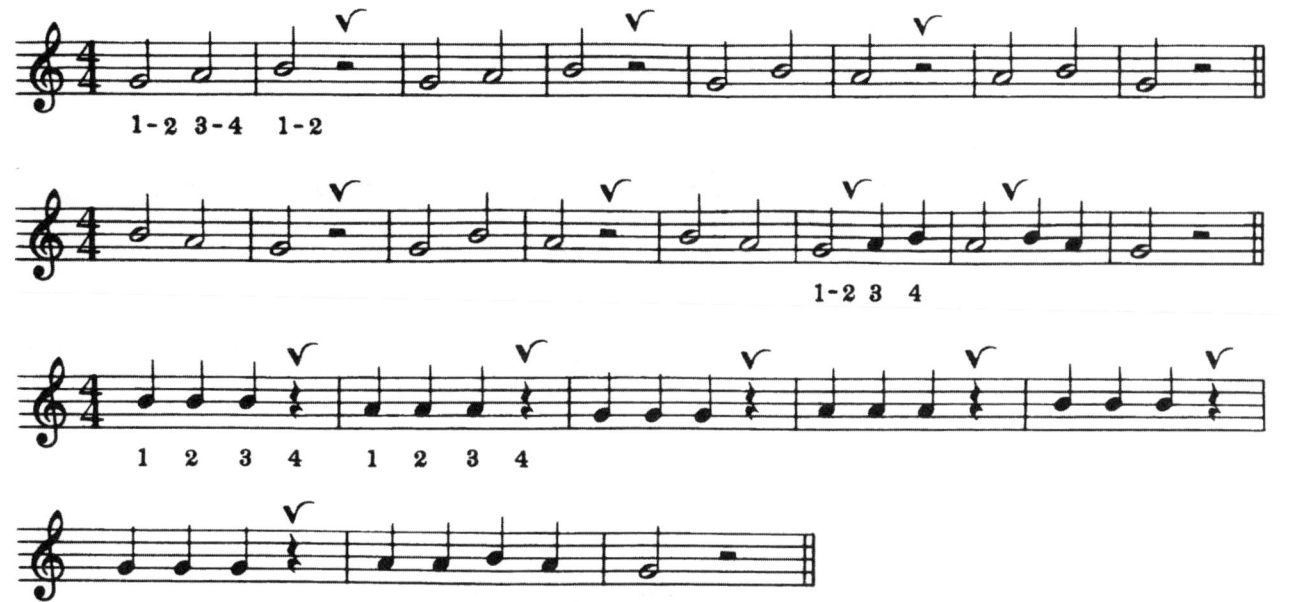

WALISISCHE MELODIE

Wie die Sprache ist auch die Musik in Sätze und Satzteile eingeteilt. Bemühe dich, daß dein Atem bis zum nächsten Atemzeichen reicht. Die Musik wird dann nicht so kurzatmig wirken.

DUO

MERRILY WE ROLL ALONG

FINGERÜBUNG

Bindungen

Eine Bindung wird angezeigt durch einen Bogen über oder unter einer Gruppe von Noten:

Die Töne müssen auf einen Atem gespielt, und nur der erste Ton darf angestoßen werden. Sorgfältig zählen während der Bindung.

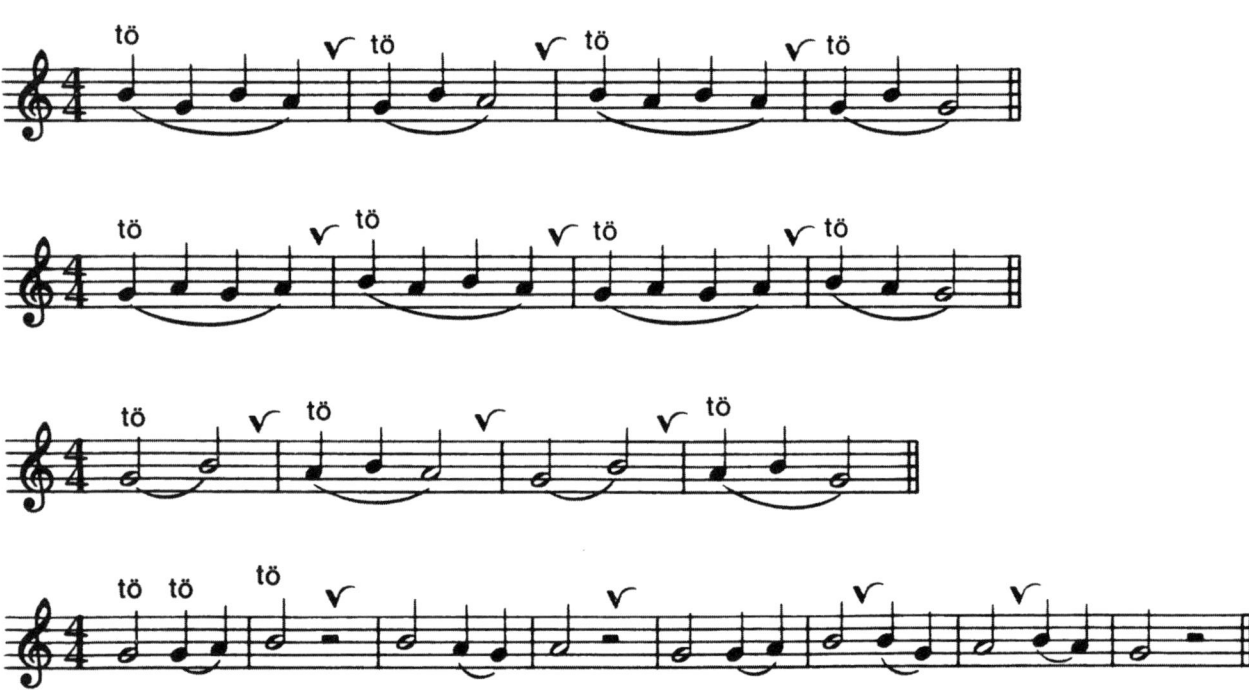

AU CLAIR DE LA LUNE

Wenn zwei Noten von gleicher Höhe durch einen Bindebogen verbunden sind, dann werden ihre Werte zu einem ausgehaltenen Ton vereinigt. Die zweite Note nicht anstoßen.

Bisher hast du im 4/4-Takt gespielt: vier Viertelschläge auf einen Takt. Zuweilen ist dieser "Normaltakt" mit einem **C** bezeichnet statt mit 4/4. Achte darauf, daß der erste Ton eines Taktes immer etwas wichtiger genommen wird: er sollte also eine leichte Betonung erhalten.

1-2 3 4

TRAURIGE WEISE

ALAN RIDOUT

1* Sehr langsam

weich

Einführung der Achtelnoten
Auf eine Viertelnote kommen zwei Achtel.

wie

Spiele die folgenden Übungen, indem du "1 und 2 und 3 und 4 und" für die Achtel zählst.

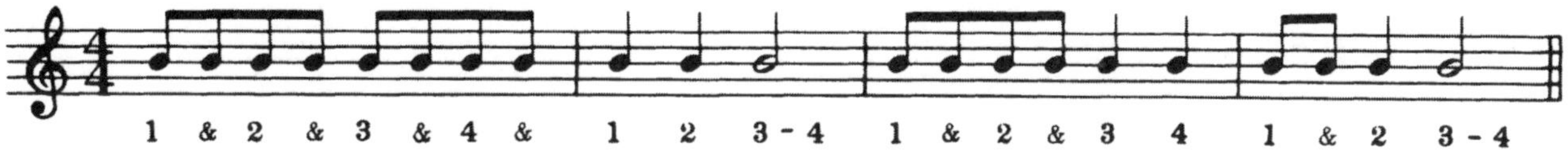

1 & 2 & 3 & 4 &   1   2   3 - 4   1 & 2 & 3   4   1   & 2   3 - 4

1   2 & 3   1 & 2   3   1   2 & 3   1   2 - 3

SCHLANGEN

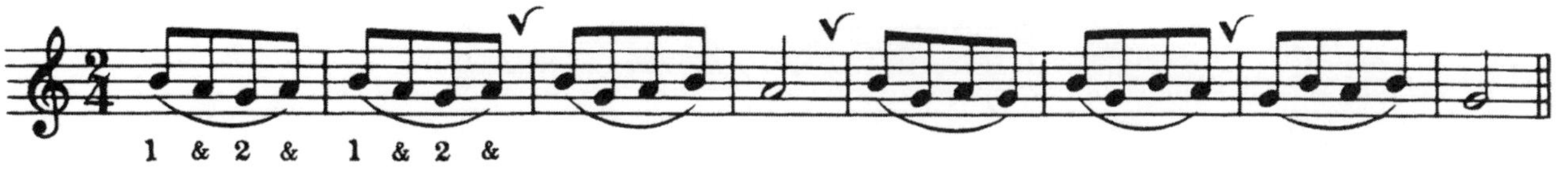

1 & 2 &   1 & 2 &

* Für alle *numerierten* Stücke kann eine separate Klavierbegleitung bezogen werden.
  Die Stücke klingen schöner mit Klavier oder Gitarre.

12

REGENTROPFEN

1 & 2 & 1 - 2

Eine Achtelpause sieht so aus:

Drei Stücke als Leseübung
Laß während dieser drei Stücke nicht die Finger der rechten Hand auf der Mechanik liegen.

(a)

1 & 2 1 & 2

(b) Ziemlich schnell

1 & 2 &

(c) In gemäßigtem Tempo

Einführung von C

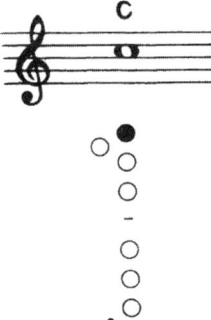

N.B. Laß dich nicht verleiten, beim C die Flöte
mit dem linken Daumen festzuhalten.

C

DUO

H. PURCELL

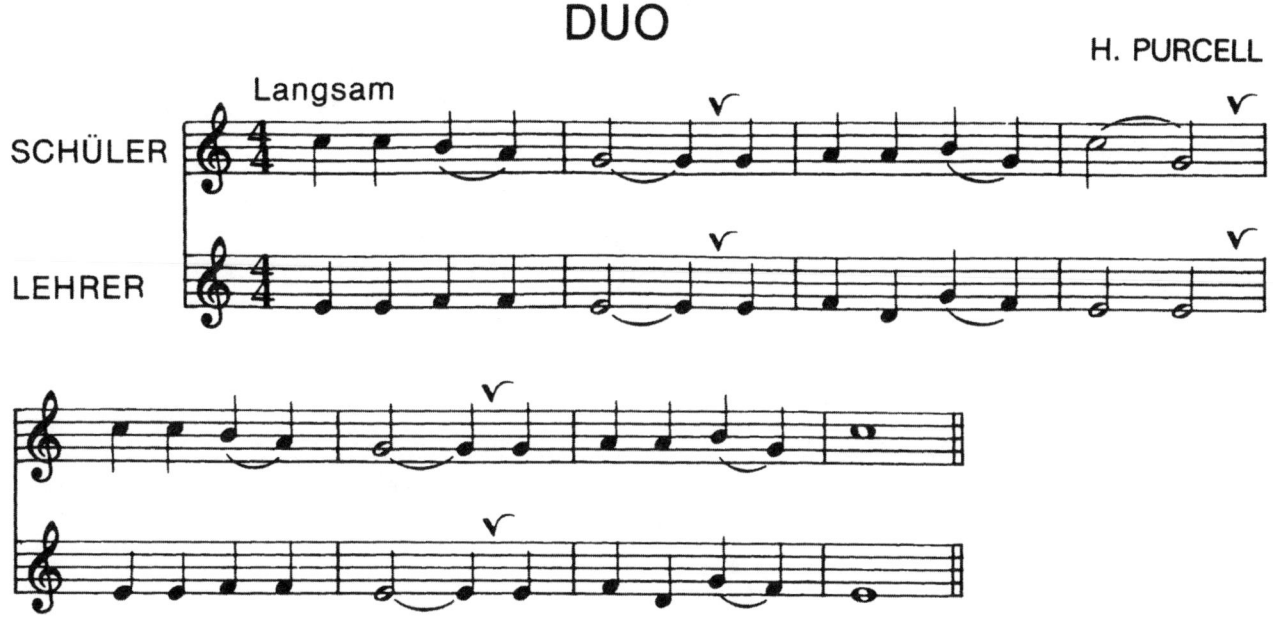

Die meisten Tempobezeichnungen am Anfang eines Stückes stammen aus der italienischen Sprache. Im Folgenden werden die gebräuchlichsten Ausdrücke mit ihrer deutschen Übersetzung in Klammern wiederholt. Zum Nachschlagen findet man eine Liste am Schluß des Heftes.

2 AIR DE BUFFONS

16. Jahrh.

3/4 Der 3/4Takt hat drei Schläge, wie im Walzer.

FINGERÜBUNG

1 & 2 & 3

Vergleiche nun deine Körper- und Handhaltung mit den Bildern am Beginn des Heftes.

♩. Das ist eine punktierte halbe Note: ein Punkt hinter der Note verlängert sie um die Hälfte ihres Wertes.

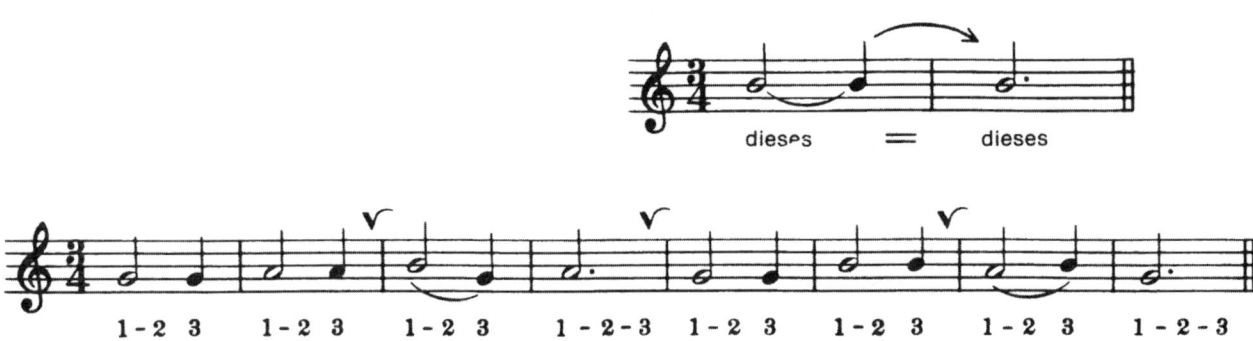

dieses ═ dieses

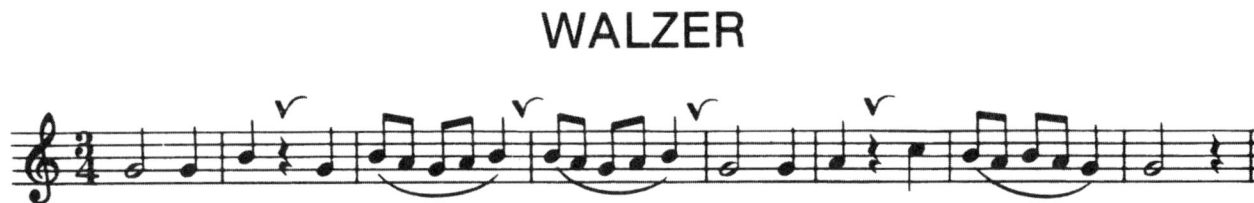

1 - 2 3   1 - 2 3   1 - 2 - 3   1 - 2 - 3   1 - 2 3   1 - 2 3   1 - 2 3   1 - 2 - 3

WALZER

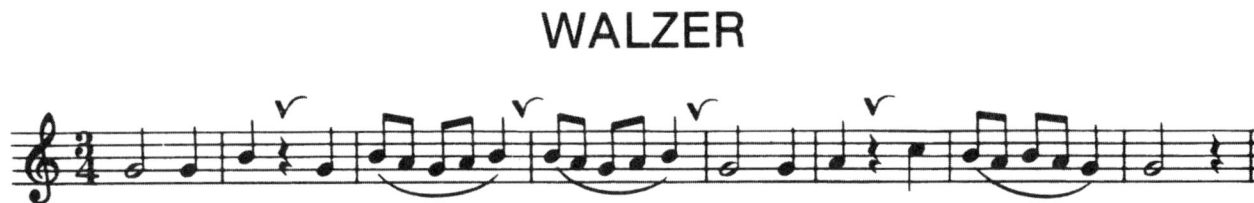

Das ist ein Wiederholungszeichen: der Teil zwischen den zwei Zeichen wird noch einmal gespielt. Wenn nur ein Zeichen dasteht, dann wiederhole vom Beginn an.

3   **TANZ**   SUSATO

Allegro (lebhaft)

LEHRER

① Die ersten Flöten wurden vor vielen tausend Jahren aus menschlichen Knochen hergestellt, wobei die "Tibia" (der Schienbeinknochen) bevorzugt wurde. Noch bis in die neuere Zeit hinein machten südamerikanische Stämme Flöten aus den Knochen - und Trommeln aus der Haut besiegter Feinde. Sie musizierten damit zur Feier ihres Sieges, aber auch, um ihre Gegner zu ehren.

Die griechischen Flötenbläser wurden Tibicines genannt. Einer von ihnen, Harmonides, etwa 440 v. Chr., gestand seinem Lehrer, daß sein einziger Beweggrund, Flötenbläser zu werden, seine Eitelkeit sei. Sein Lehrer sagte darauf, daß der sicherste Weg, Ruhm zu erlangen, darin bestünde, sich nicht um die zu kümmern, die nur heucheln können. Statt dessen solle man sich um den Beifall derer bemühen, die Urteilsvermögen besitzen. Diese Worte stießen auf taube Ohren. Bei seinem ersten Wettbewerb spielte dann Harmonides mit so vielen Verrenkungen, so heftig und roh - immer im Bemühen, den Leuten zu gefallen - daß er plötzlich tot umfiel.

Alle Noten können erhöht oder erniedrigt werden, indem man ihnen ein Versetzungszeichen vorstellt. Das Zeichen für die Erhöhung ist ♯, ein *Kreuz*. Es bezieht sich auf die Note, vor der es steht. Seine Geltung erlischt am nächsten Taktstrich.

Einführung von Gis
Griff: wie G, aber zusätzlich mit dem linken kleinen Finger.

FINGERÜBUNG

Dies ist eine Fermate: ⌢ Halte den Ton etwas länger, als sein notierter Wert angibt.

Andante (gehend)

nur beim 2. Mal innehalten

Wenn eine zuvor erhöhte Note ihre alte Tonhöhe zurückerhalten soll, wird ein Auflösungszeichen (♮) gesetzt. Dessen Wirkung wird ebenfalls am Taktstrich aufge-
hoben. Manchmal wird es auch nur zur Erinnerung gesetzt.

4   MADRIGAL

LEHRER

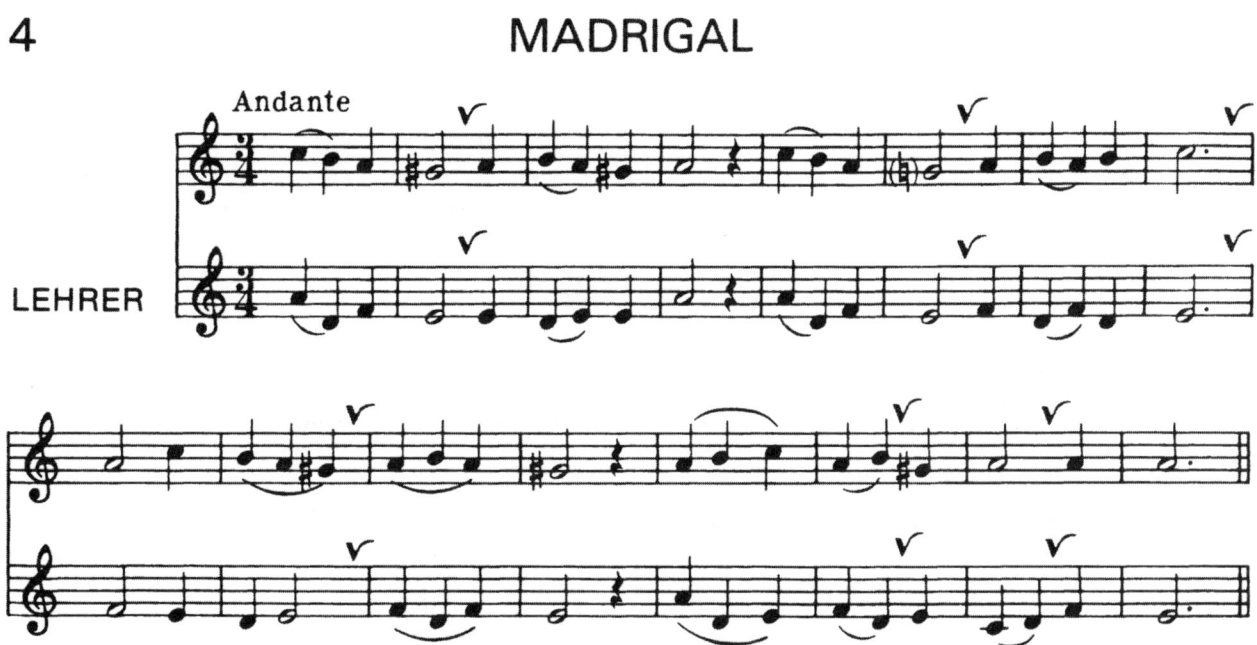

Bewege deine Finger flink und genau, auch wenn du langsam spielst. Hebe die
Finger nicht höher auf als notwendig. Das wird dir zu guter Fingertechnik ver-
helfen.

OLD LACE

Vergiß nicht, alle Töne mit dem rechten kleinen Finger auf der Dis-Klappe zu grei-
fen.

UNGARISCHES VOLKSLIED

18

Einführung von F und E

Versuche, das Leiserwerden zu vermeiden, wenn du tiefe Töne spielst. Vergleiche deine Handhaltung mit den Bildern am Beginn des Heftes.

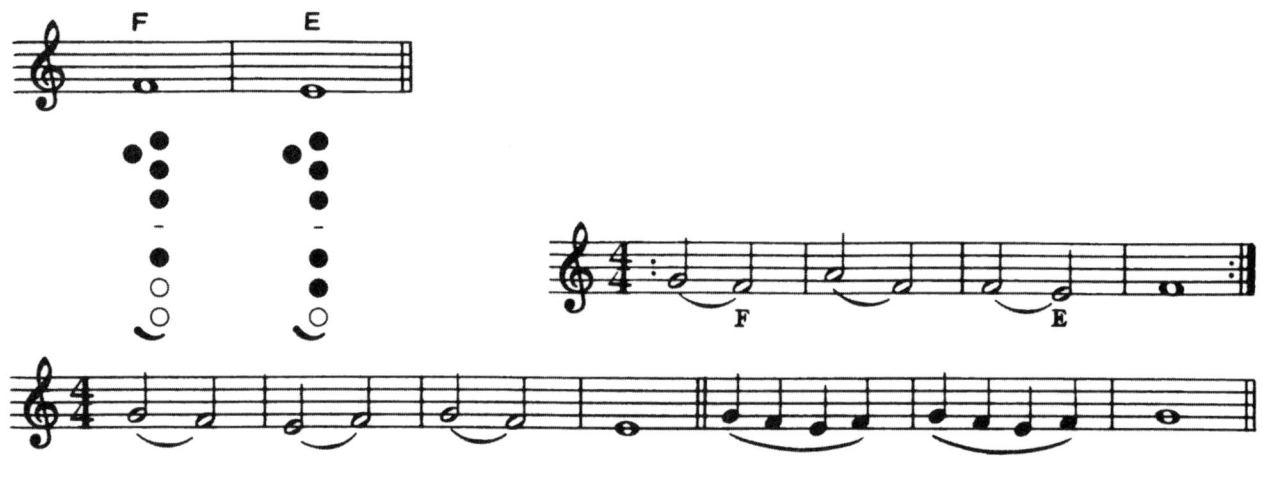

ALLE TÖNE

Das folgende Lied hast du schon gespielt - aber mit anderen Tönen:

AU CLAIR DE LA LUNE

LAVENDEL

WANDERLIED

Spiele die gleiche Melodie im 2/4-Takt. Sie sollte genauso klingen wie die vorhergehende, aber mit veränderter Betonung.

WANDERLIED

Ein Punkt unter oder über einer Note bedeutet, daß sie *staccato* gespielt werden soll, das heißt: kürzer als ihre notierte Länge. Stoppe die Töne nicht mit der Zunge.

STACCATO-ÜBUNG

TANZ

EINE KLEINE MELODIE

FINGERÜBUNG

MUFFINS
(ein englisches Teegebäck - d. Übers.)

Tonpflege

Die Ausbildung eines schönen Tones ist besonders wichtig für deinen weiteren Fortschritt. In diesen Übungen - und in denen, die folgen - experimentiere mit der Geschwindigkeit, unter der du die Luft in die Flöte hineinbläst. Wird der Ton roher, wenn du die Geschwindigkeit erhöhst? Wenn ja, dann versuche Folgendes:

(a) Verkleinerung des Lippenspaltes, durch den du bläst. Versuche, sparsam mit der Luftmenge umzugehen und bemühe dich um einen sauberen Ton.
(b) Verschiebe den Unterkiefer leicht vor- und rückwärts und achte auf jede Verbesserung. Halte jeden Ton so lange aus wie möglich. Atme tief. Vermeide es, das Mundloch an der Lippe einwärts zu drehen. Keinesfalls sollte mehr als die Hälfte überdeckt sein. Lies am Beginn des Heftes nach.

TONÜBUNG

Das nächste Stück beginnt mit einem unvollständigen Takt. Die Note vor dem Taktstrich wird *Auftakt* genannt. Beobachte, wie dadurch die Atemstellen beeinflußt werden.

DEUTSCHER TANZ

N.B. Der letzte Takt des Deutschen Tanzes ist nicht vollständig. Der Rest dieses Taktes ist im Auftakt am Anfang des Stückes enthalten.

Einführung von B
Alle Noten können erhöht (♯), auf die Originaltonhöhe zurückgesetzt (aufgelöst - (♮) und erniedrigt werden. Das Zeichen für Vertiefung heißt "B" (♭).

DER HERMELIN

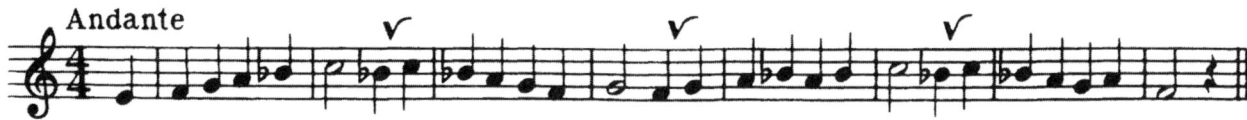

MENUETT

F-Dur

Im vorhergehenden Stück steht ein ♭ vor jedem H. Im nächsten Stück steht ein ♭ gleich am Anfang. Es erspart das ♭ vor jedem einzelnen H. Wenn Kreuze oder B's am *Beginn* eines Stückes stehen, nennt man das *Vorzeichnung*.

Spiele das Stück *ohne* B's: das klingt recht sonderbar. Beachte, wie das Stück am Ende zum F zurückzustreben scheint. Diese *Tonart* - mit einem B - nennt man F-Dur. Im weiteren Verlauf unseres Lehrganges wirst du auch in weiteren *Tonarten* spielen.

MARSCH

F-Dur   ANONYM

Tonqualität

Spiele vor den nächsten Stücken jeweils den ersten Ton als eine lange Note und überprüfe deine Tonqualität.

NUN IST DER TAG VORÜBER S. BARING-GOULD

F-Dur

JINGLE BELLS

F-Dur   J.S. PIERPOINT

22

Du wirst merken, daß im nächsten Stück die Phrasen drei Takte lang sind; die meisten musikalischen Phrasen umfassen vier Takte. Die Phrasen werden hier durch Klammern angezeigt.

F-Dur

5   **DIE NACHTIGALL**

VOLKSLIED

F-Dur

6   **DIE BIENE**

19. Jahrh.

Das nächste Stück hat keine Vorzeichnung. Es steht in C-Dur; doch wechselt die Tonart während seines Verlaufes, was durch die wiederholten Gis angezeigt wird. In den Stücken wird häufig die Tonart gewechselt oder *moduliert*. Dann erscheinen zusätzlich zur Vorzeichnung Kreuze oder B's oder Auflösungszeichen. Deren Wirkung endet am nächsten Taktstrich.

23

C-Dur
7

WIEGENLIED

ALAN RIDOUT

SUR LE PONT D'AVIGNON

F-Dur

FRANZÖSISCHES VOLKSLIED

> Das ist ein *Akzent:* die Note darüber oder darunter wird mit dem Atem oder der Zunge scharf angestoßen.

F-Dur
8

DER KUCKUCK

ANONYM
19.Jahrh.?

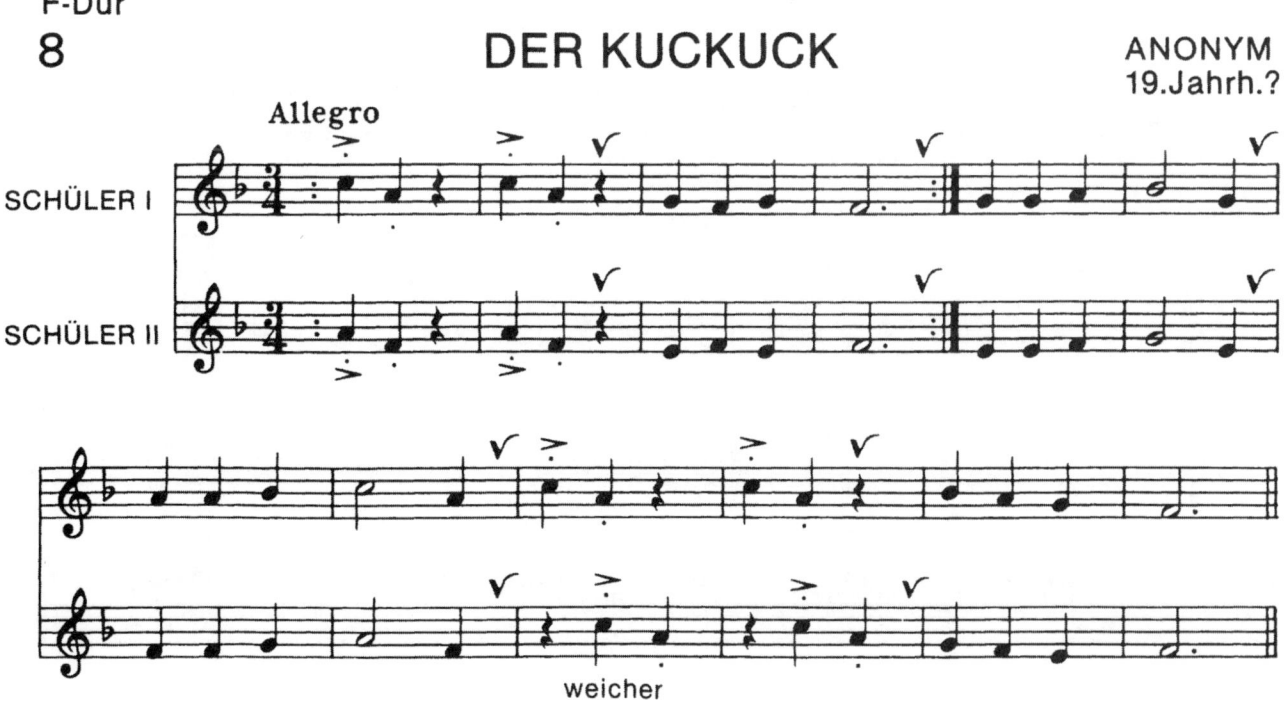

Übe vor jedem Spiel zuerst den Ton.

24

WINTER ADE

F-Dur

9 Moderato

Tonleitern sind Reihen von Tönen, die leiterartig schrittweise auf- und absteigen. Sie sind wichtig zur Entfaltung der Fingertechnik. Spiele diese Übungen sorgfältig und zwar so, wie sie hier folgen.

FINGERÜBUNG

TONLEITERÜBUNG IN F-DUR

F-Dur

TANZ

PRAETORIUS

10 Allegro

② Dieser Wilde wirbelt ein Schwirrholz, eine primitive Abart der Flöte, um sich herum. Es macht ein gewaltiges, tiefes Geräusch. Um ein Schwirrholz zu bauen, benötigst du: ein Stück leichtes Holz von 6,5 x 45 cm Fläche und 1/2 cm Dicke, dazu eine Nylonschnur von ca. 2 m Länge. Schneide eine Form aus, wie in der Zeichnung angegeben und runde die Kanten mit Glaspapier ab. Bohre ein Loch in 2 cm Entfernung vom einen Ende. Dekoriere es mit einer schönen Mattfarbe. Mache einen Knoten am Ende der Schnur. Fädele sie ein. Wirble das Schwirrholz um deinen Kopf herum.

A tutor who tooted the flute	Es tutet ein Tutor die Flute;
Tried to tutor two tooters to toot	Der Gute tut tuten voll Mute.
Said the two to the tutor	Er tutet mit Glut
Is it easier to toot	- Tutors Flute kaum ruht -,
Or to tutor two tooters to toot?	Hat das Tuten der Flute im Blute.
	(frei übertr. v. V.R.)

Einführung von Fis

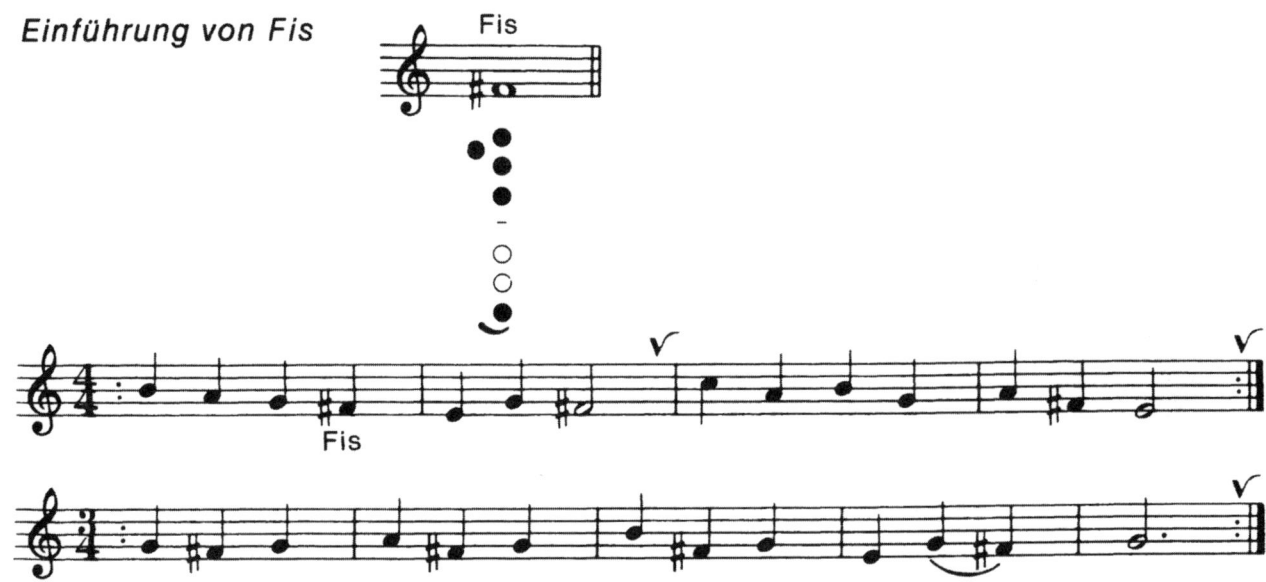

Die nächste Fingerübung hat eine neue Vorzeichnung: G-Dur - mit einem Kreuz,
Fis. Alle F's müssen als Fis gespielt werden.

FINGERÜBUNG

G-Dur

G-Dur

Einführung der punktierten Viertelnote
Spiele zuerst diese Übung:

Nun spiele die Übung noch einmal und binde die zwei ersten Noten aneinander:

Die Übungen 1 und 2 sollten absolut gleich klingen. Eine punktierte·Viertelnote
besteht aus einem Viertel und einem Achtel.

ENGLISCHE NATIONALHYMNE

Prima volta · Seconda volta

Manchmal hat ein Wiederholungsteil unterschiedliche Enden. Spiele die ersten sechs Takte und wiederhole. Beim zweiten Mal überspringe den mit 1 bezeichneten Takt und spiele stattdessen 2.

G-Dur

11   MELODIE

LULLY

LEHRER

Hier ist das gleiche Stück in einer anderen Tonart: F-Dur.

F-Dur

12   MELODIE

LEHRER

Stil und Charakter eines Stückes werden von alters her mit italienischen Zeichen und Wörtern angezeigt. Hier einige davon:

forte (abgekürzt f): stark, laut
piano (abgekürzt p): leise
mezzoforte (abgekürzt mf): mäßig laut
mezzopiano (abgekürzt mp): mäßig leise
crescendo (auch ——◁ oder cresc.): stetig lauter werden
diminuendo (auch ▷—— oder dim.): stetig leiser werden
rallentando (auch abgek. rall.): stetig langsamer werden

Lauter und leiser

Vielleicht hast du schon gemerkt, daß der Ton tiefer wird, wenn man leiser bläst. Um das zu vermeiden, hebe den Blasstrahl an (blase flacher), wenn du leiser wirst, indem du den Unterkiefer vorschiebst. Wenn du lauter bläst, tu das Gegenteil. Höre immer genau hin und korrigiere, wenn die Tonhöhe nicht stimmt.

Sorgfältig zählen
F-Dur

13 **BAUERNTANZ**

ALAN RIDOUT

Einführung von Es und D
N.B. D ohne den kleinen Finger auf der Dis-Klappe

Noch einmal: überprüfe die Haltung der rechten Hand.

Ohne den rechten kleinen Finger

Ein anderer Name für Es ist Dis. Es wird genauso gegriffen. Alle Noten haben mehrere Namen. Näheres siehe Seite 54 (II. Teil).

der gleiche Ton

ÜBUNG ÜBER TIEFE TÖNE

Die gleiche Vorzeichnung kann sowohl eine Dur- als auch eine Moll-Tonart bedeuten. Spiele die beiden folgenden Melodien und beachte ihren unterschiedlichen musikalischen Charakter.

Obwohl die beiden Melodien die gleiche Vorzeichnung haben, endet jede auf einer anderen Schlußnote.

TONLEITERÜBUNG IN D-MOLL

Hier folgen noch zwei weitere. Stücke in Molltonarten haben häufig zusätzliche Versetzungszeichen.

TONLEITERÜBUNG IN E-MOLL

e-Moll

14

DIE JUNGFER

e-Moll

TANZ

SUSATO

Einführung von Cis

Versichere dich, daß du die Flöte mit der linken Hand korrekt hältst.
Schau dir die Bilder vorn im Heft an.

Vorzeichnung von E-Dur: Fis, Cis, Gis und Dis

TONLEITERÜBUNG IN E-DUR

JINGLE BELLS

E-Dur

J.S. PIERPOINT

E-Dur

SAD WALTZ

18. Jahrh.

15 Vivace

TONLEITERÜBUNG IN D-DUR

D-Dur

16

THIS OLD MAN

Allegro

Nun folgt A-Dur - mit drei Kreuzen: Fis, Cis und Gis.

TONLEITERÜBUNG IN A-DUR

A-Dur
FINGERÜBUNG

A-Dur
EIN TANZ

Eine Übung und ein Stück, beide in fis-Moll - mit drei Kreuzen: Fis, Cis, Gis.

TONLEITERÜBUNG IN FIS-MOLL

fis-Moll
LIED

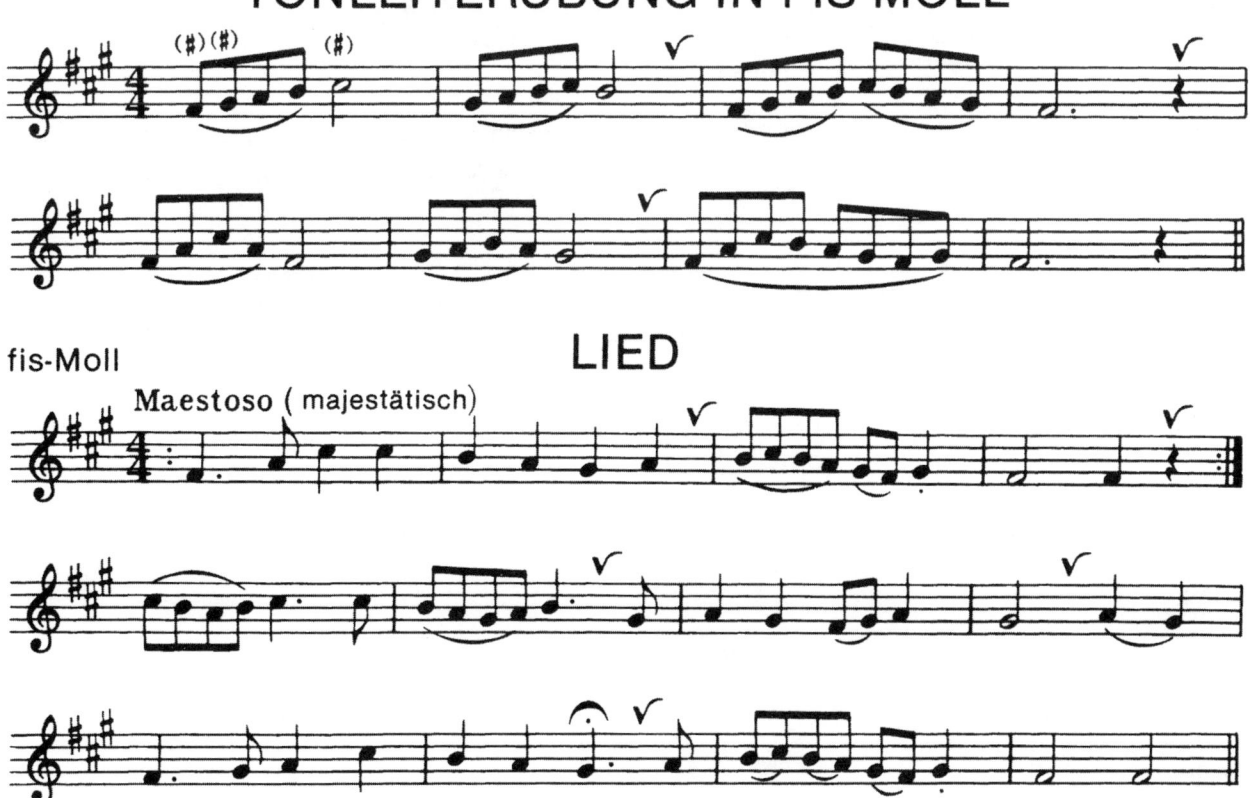

34

Dieses Stück haben wir schon in einer anderen Tonart gespielt.

E-Dur
18   **EIN TANZ**

PRAETORIUS

F-Dur   **POLLY WOLLY DOODLE**

AMERICAN

Die neue Note im folgenden Stück ist nicht neu! Ais ist eine andere Bezeichnung für B. Näheres siehe Seite 54 (II. Teil).

Ais wird genauso gegriffen wie B. Sorgfältig zählen.

e-Moll
19   **AIR**

ALAN RIDOUT

Einführung des mittleren D

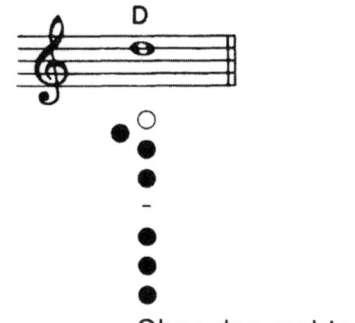

Ohne den rechten kleinen Finger.

TONLEITERÜBUNG IN G-DUR

G-Dur

20 BRANSLE

GERVAISE

③ Tse, die klassische chinesische Flöte. Unsere modernen Flöten stammen von dieser einfachen Bambusflöte ab, welche in China etliche tausend Jahre in Gebrauch gewesen ist.

> Ein einziger, langhin pfeifender Ton,
> Eindringlich wie die Flöte,
> Süß wie die Gitarre,
> Der hinwelkt bis zur Stille,
> Um plötzlich wieder aufzublühen.
> Ein einziger Ton, der kommt und geht.

> (Nach einer Übertragung von Su-Liän-duan
> und Claude Roy) zit. nach Raymond Meylan:
> Die Flöte, Bern und Stuttgart, Hallwag.

The oars were silver, which to the tune of flutes, kept stroke.

Die Ruder waren Silber, die nach der Flöten Ton Takt hielten.

> SHAKESPEARE (Antonius und Kleopatra)
> übersetzt von Wolf Graf Baudissin

Der Kanon ist ein Stück, in welchem die zweite Stimme die erste notengetreu nachahmt.

G-Dur

21 NOEL: *EIN KANON*

CHEDEVILLE

Das Folgende ist ein unendlicher Kanon: Spieler II beginnt, wenn Spieler I die Zifffer 2 erreicht. Spieler III beginnt, wenn I die 3 erreicht usw. Wiederholt so lange, bis ihr nicht mehr mögt!

IN LONDON BRENNT ES

Vierteiliger unendlicher Kanon

Diese Taktbezeichnung bedeutet zwei *Halbe* in einem Takt. Sie kommt hauptsächlich in langsamen, gemessenen Stücken oder als Marsch-Rhythmus vor.

F-Dur

22 DEUTSCHER TANZ

MELCHIOR FRANCK

Phrasierung
Beachte, wie Atemzeichen die Musik in Phrasen einteilen - genau wie in der Sprache. Die schon früher beschriebenen Zeichen (f und p, cresc. usw.) werden von nun an in den Stücken, die du spielst, häufiger vorkommen. Das wird der Phrasierung nützen.

TONLEITERÜBUNG IN G-MOLL

g-Moll

23 ## SCHWEDISCHES VOLKSLIED

TONÜBUNG

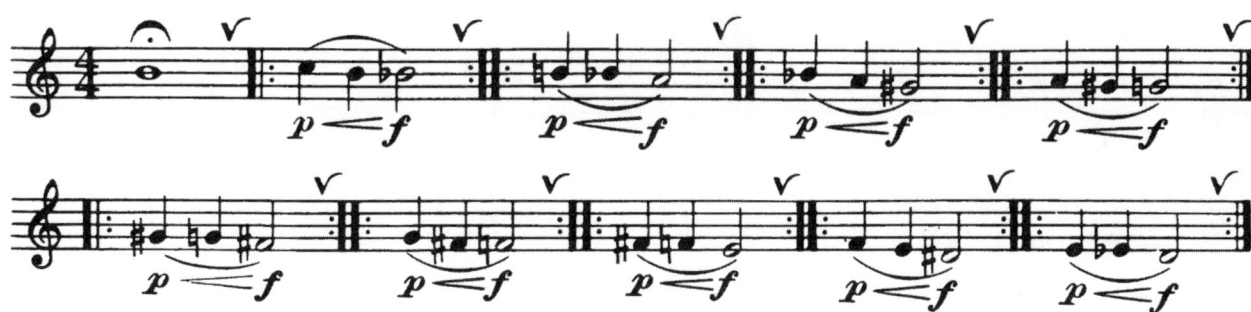

40

DA CAPO (abgekürzt D.C.) bedeutet, daß man zum Anfang zurückgehen soll. Oft findet man die Anweisung *D.C. al Fine.*

g-Moll
24

DUDLEY'S GRUNT

Andantino (weniger langsam als Andante)

Gehe zurück zum Anfang und schließe beim *Fine* oder mit dem Schlußtakt.

G-Dur
25

DEUTSCHER TANZ

SCHUBERT

Grazioso (graziös)

F-Dur
26

VOLKSLIED

ALAN RIDOUT

Bisher hast du die Töne von D' bis D'' gelernt. Sie umfassen acht Notennamen: D E F G A H C D. Diese Spanne von acht Tönen nennt man eine Oktave. Für die neuen Töne in der zweiten Oktave - E und F - mußt du eine höhere Luftgeschwindigkeit wählen, sonst brechen sie ab in ihre tiefere Oktave. Hebe den Luftstrahl leicht an, indem du den Unterkiefer vorschiebst. Die Griffe sind die gleichen wie in der tieferen Oktave.

Einführung des mittleren E und F

Die Griffe sind die gleichen wie in der tieferen Oktave. Blase diese Töne mit höherer Luftgeschwindigkeit.

TONLEITERÜBUNG IN A-MOLL

a-Moll

27

WEIHNACHTSLIED AUS COVENTRY

Melodie arrangiert von
MARTIN SHAW

Lento con moto (langsam bewegt)

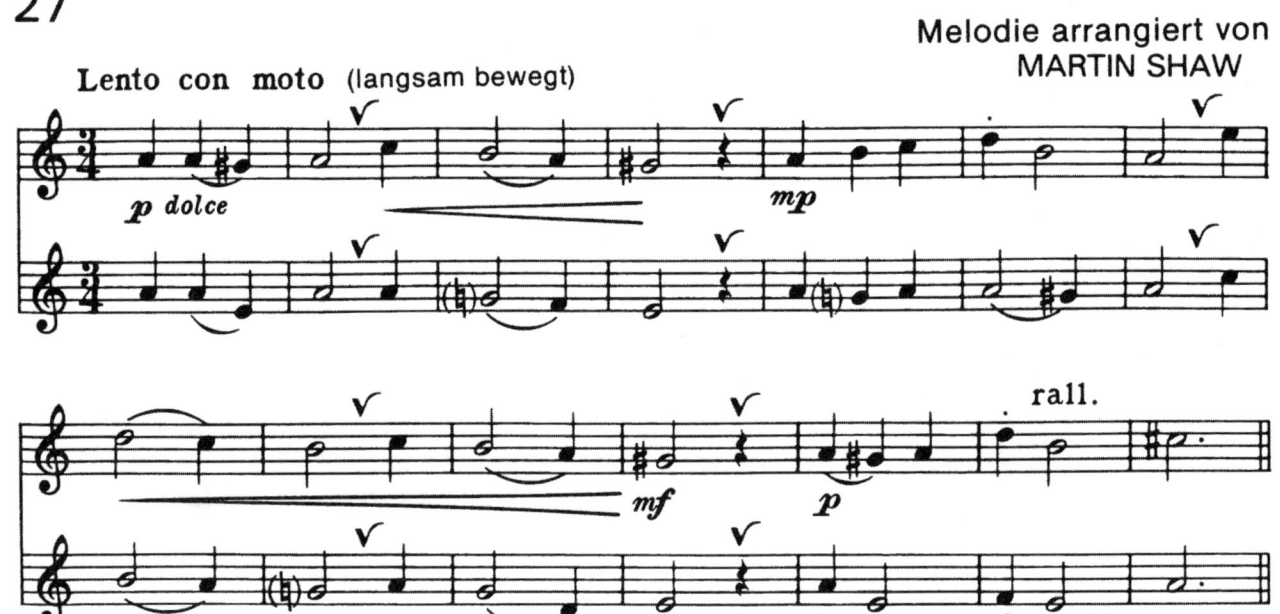

Melody reprinted by permission of A.R. Mowbray & Co.Ltd.

Diese Taktbezeichnung bedeutet ebenfalls zwei Halbe pro Takt: (₵)

G-Dur

28

ALLEMANDE

GERVAISE

TONLEITERÜBUNG IN A-DUR

Der kurze Strich über oder unter einer Note ist ein *Tenuto*-Akzent: die Akzentu-
ierung ist verhalten; außerdem wird der Ton über seinen vollen Wert gehalten.

A-Dur

29

LORD HAYE'S MASQUE

CAMPION

Lies noch einmal die Bemerkungen zur Tonpflege auf Seite 19.

TONÜBUNG

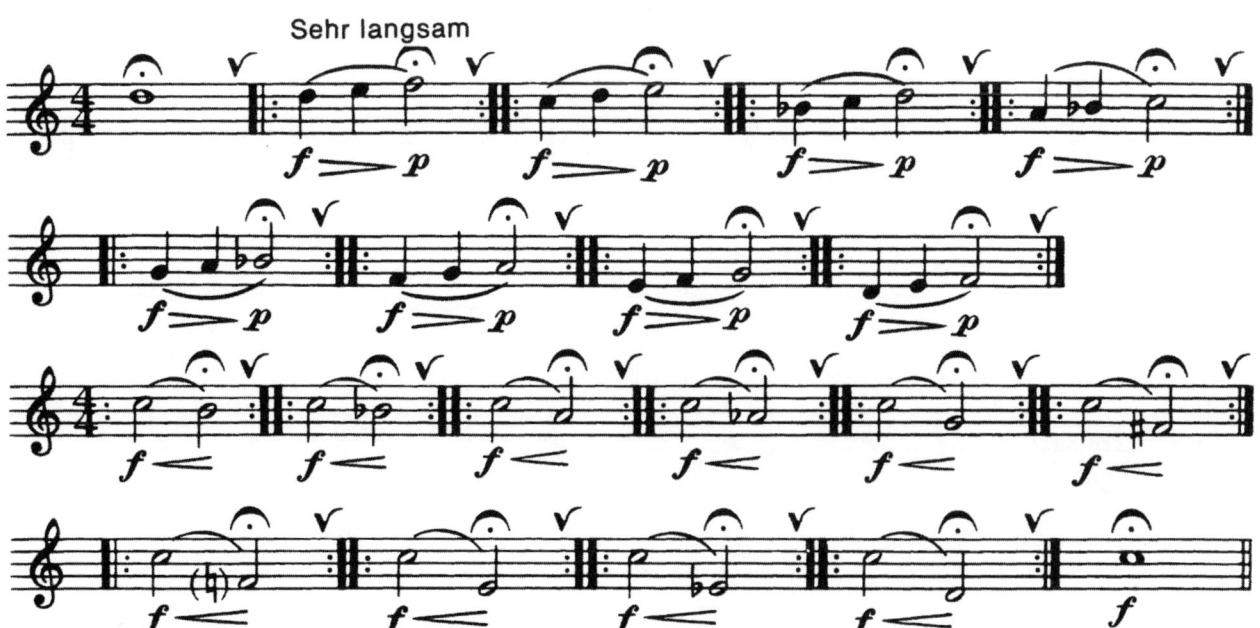

44

e-Moll
30 ALTES FRANZÖSISCHES WEIHNACHTSLIED
TRADITIONAL

Andante sostenuto (langsam und gehalten)

p tranquillo (ruhig)

rall.

f   mp

TONLEITERÜBUNG IN F-DUR

g-Moll
31 RUSSISCHES VOLKSLIED

Vivace   FINE

mf

D.C. al Fine

rall.

p

F-Dur
32

HEXENTANZ

18. Jahrh.

Moderato

mf *f*

nur beim 2. Mal rall.

④ Der Gott Pan spielt die Panflöte, eine andere alte Form der Flöte. Ihre Erfindung ging so vor sich: Pan verliebte sich in eine schöne Jungfrau mit Namen Syrinx. Doch sie rannte vor ihm weg und verbarg sich am Flußufer im Schilf. Pan schlug sich durch das Schilfrohr; als er sie aber nicht fand, band er ein Bündel Rohr zusammen und machte daraus eine Flöte, um auf ihr sein Leid zu klagen. Doch so verschieden, wie die Liebe der beiden war, war es auch die Länge der Rohre. Und was einst eine schöne Jungfrau gewesen war, wurde nun zu einem tönenden Musikinstrument!

g-Moll

RONDO

33

SUSATO

Einführung von Es oder Dis

Das mittlere Es hat den gleichen Griff wie im tieferen Register, aber ohne den linken Zeigefinger.

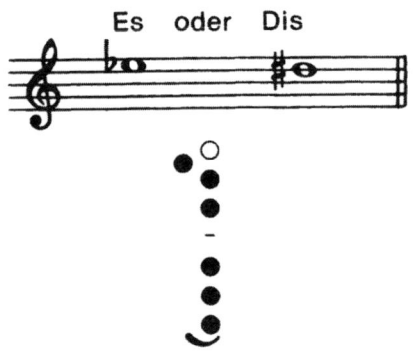

Überprüfe die Stimmung der Oktaven.

TONLEITERÜBUNG IN B-DUR

B-Dur

34

O JESULEIN SÜSS

17. Jahrh.

48

B-Dur

35

RONDO

SUSATO

Stelle das Heft auf den Kopf!

ERSTE STIMME

DUETT

ANON.

ZWEITE STIMME

g-Moll

36

MARSCH

MELCHIOR FRANCK

Einführung von Fis und G

Überprüfe die Stimmung der Oktaven.

TONLEITERÜBUNG IN G-DUR

50

G-Dur
37

TANZ UNTER DEM MAIBAUM

TRADITIONAL
FINE

TONLEITERÜBUNG IN H-MOLL

h-Moll
38

GREENSLEEVES

TRADITIONAL

TONLEITERÜBUNG IN C-DUR

RIGAUDON

C-Dur
39 Allegro

H. PURCELL

C-Dur
40 Allegro

DING DONG! MERRILY ON HIGH

Frankreich
16. Jahrh.

Eine neue Tonart, f-Moll mit vier B's: B, Es, As - mit dem gleichen Griff wie Gis - und Des - wie Cis. Näheres siehe Seite 54 (II. Teil).

TONLEITERÜBUNG IN F-MOLL

4/2 bedeutet: vier Halbe pro Takt. Die folgende Melodie kann von acht Spielern ausgeführt werden. Sind nur vier beteiligt, dann können die geradzahligen Ein-sätze ausgelassen werden.

KANON

TALLIS

Überprüfe die Haltung der rechten Hand nach der Beschreibung vorn im Heft.

Der Flöte Klageton
Beseufzt in Trauernoten
Die Qual trostloser Liebe.

DRYDEN

⑤ Diese Porzellanfigur stellt einen Musikanten des 17. Jahrhunderts dar, der eine Einhandflöte bläst und gleichzeitig die kleine Trommel schlägt. Auf diesen Flöten - die heute noch erhältlich sind - kann man zahlreiche Töne allein mit drei Fingern erzeugen. Am oberen Ende haben sie ein Mundstück wie das der Blockflöte.

Italienische Vortragsbezeichnungen und ihre Bedeutung

Allegro	lebhaft
Allegretto	weniger lebhaft als Allegro
Andante	langsam gehend
Andantino	weniger langsam als Andante; bei manchen Komponisten bedeutet es aber auch *weniger* schnell (bzw. langsamer) als Andante. Urteile jeweils selbst.
A tempo	im alten Zeitmaß (nach einer Verlangsamung)
Animato	belebt
Al fine	bis zum Ende (nach D.C.)
Con spirito	feurig, geistvoll
Crescendo (cresc.)	stetig lauter werdend
Con	mit
Con moto	bewegt
Diminuendo (dim.)	stetig leiser werdend
Dolce	sanft, zart
D.C. (da capo)	zurück zum Anfang
Fine	Ende
Forte (f)	stark, laut
Grazioso	graziös
Larghetto	weniger langsam als Largo
Maestoso	majestätisch
Mezzo forte (mf)	halb oder mäßig laut
Mezzo piano (mp)	halb oder mäßig leise
Mesto	traurig
Moderato	in mäßigem Tempo
Ritenuto (rit.)	zurückgehalten, langsamer
Rallentando (rall.)	stetig langsamer werden
Sostenuto	gehalten
Simile	weiter wie bisher
Tempo	Geschwindigkeit, Zeitmaß
Tempo di minuetto	im Zeitmaß des Menuetts
Tempo di Valse	im Zeitmaß des Walzers
Vivo	lebendig, lebhaft
Vivace	lebhaft

NUN BIST DU GERÜSTET FÜR TEIL II